KB064802

그 모퉁이 자작나무

b판시선 48

윤재철 시집

그 모퉁이 자작나무

도서출판 b

갈수록 시가 외롭다
잊어버린
눈물이 외롭다
길가 코스모스는 무리 지어
가을바람에 하늘거리는데
길은 자꾸 희미해지고
오고 가는 사람이 없다
꿈꾸던 사람들은 다
어디로 갔을까
꽃이 외롭다
시가 외롭다

| 차 례 |

제1부

큰고니 혹은 백조

큰고니가 긴 목을 세우고
우아하게 물 위를 떠갈 때
보이지 않는 물속에서
검은 물갈퀴는 바쁘게 노를 젓는다

큰고니가
지상에서 천상으로 날아오를 때
물갈퀴는 물 위를 딛고
바쁘게 달려야 한다
활주로를 달리는 점보제트기처럼

큰고니가 이윽고
내려앉을 때는
날개를 펼치고 물갈퀴를 세워
수상스키 타듯 브레이크 걸어야 한다
큰고니의 희고 아름다운 자태는
단지 몸짓일 뿐이다

그 모퉁이 자작나무 1

먼 길 떠나왔다
은빛 자작나무
시베리아 눈 덮인 평원
아니면 개마고원 언저리 어디

어깨 위 눈 털며
걸어서 왔나
아니면 은빛 비행기 타고
하늘로 왔나

땅도 설고
사람도 설은
방배열린문화센터 빌딩
모퉁이 작은 화단

가슴에
자 · 작 · 나 · 무
둥근 플라스틱

이름표 달고

은빛 자작나무 두 그루는
겨울 숲
늑대 함께 달빛 함께
몰아치는 눈보라가 그립다

그 모퉁이 자작나무 2

하루 종일
차들 내달리는 방배로
방배열린문화센터
빌딩 모퉁이

은빛 자작나무
거기 있지만
집은 비어 있다
숲은 비어 있다

가녀린 가지
마른 잎사귀 몇 개
바람에 떨며
자작나무 거기 있지만

보이지 않는다
별빛 내리는 하늘
눈밭에 피워올린 샤먼의

춤추는 모닥불

빨간 우체통

누구에게도
아직 부치지 못한
편지 한 통쯤은 있어
빨간 우체통 거기 서 있다

키는 더 자라지 않는 채
자장면집 배달통처럼
모서리는 허옇게
빛도 바랜 채

차들 잠시 머물다 떠나는
신호등 앞 길가
플라타너스 그늘 아래
하루 종일 하품하며

그래도 누구에게나
아직 받고 싶은
편지 한 통쯤은 있어

빨간 우체통 거기 서 있다

월명리

잠이 안 와 막걸리 한 병 사러
24시 편의점 가는 길
조붓한 골목길 돌고 돌아
달이 떠 있다

길 따라 늘어선 연립주택들
지붕 위로 달은 떠 있어
가로등보다도 흐릿하게 달은 떠 있어
흔들리며 나는 가고

아마 월명사가 피리를 불어 멈추게 한
그 달이 지금 저 달일지도 모르겠다고
아마 이 골목길이 그 월명리일지도 모르겠다고
흔들리며 나는 가고

처마를 포개고 높이 잠든 집들
피리 소리는 진작에 그치고
나는 집을 향해 가지만

아직도 그 월명리 어디 떠돌고 있는지도 모르겠다고

방배6구역

주인 떠난 빈집
대문에는 출입 금지 노란 테이프 두르고
철거 예정 딱지 붙은 집
이미 갇혀버린 좁은 마당 한 켠에
70년대생 늙은 감나무

아직도 푸른 잎사귀 사이로
주황색 감 가득 매단 채
골목길 내다보고 있다
벌써 무릎만큼 자란 풀들은
길바닥으로 내려서고

들여다보는 사람 하나 없이
이별은 발밑에 와 있는데
70년대 80년대 90년대 2000년대 2010년대
아무 의심 없이 내려섰던
지층은 벌써 흔들리기 시작했는데

감나무는 이별을 모른다

단지 이 겨울 지나며

이 도시 어딘가 숨어 사는 텃새들

마지막 사랑처럼 날아와 입 맞출

주황색 감 가득 매단 채

빈터 1

방배6구역 집들은
낡은 콘크리트 잔해 되어 떠나가고
오래된 뜨락
감나무 모과나무도 떠나가고
담장이며 덩굴장미며
골목길 전신주도 떠나가고

드디어 아무것도 없는
하늘 아래 땅만 남아
빈터
처음처럼
한낮은 햇빛도
바람도 고즈넉한데

오랜만에 되찾은
민낯의 기억
도랑물도 다시
길 찾아 흐르고

새들도 씨앗 물고 날아올 것 같은
텅 빈 대지의 추억

비록 내일부터 지하 3층
지상 이십몇 층 아파트를 세우고
파크 브릿지 공중 정원 만들지라도
지금 사람의 시간과 시간 사이
평평한 대지의 추억으로
다시 살아오는 빈터

빈터 2

마른 플라타너스 잎사귀
보도 위에 납작하게 눌러 붙이며
추적추적 가을비 오시는 날
방배6구역 재건축 빈터

슬래브집 콘크리트 덩어리며
대리석 계단이며
골목길 아스팔트까지 다 걷어낸 뒤
하얗게 먼지 날리던 빈터

맨바닥 땅이
비에 젖으며
검은 흙으로 되살아나
금방이라도 파란 풀잎 피워낼 것 같다

고랑만 파면 금방 감자밭도 되고
옥수수밭도 될 것 같은
윤기 나는

검은 흙의 기억

길게 둘러친 강철 펜스 사이로
저물도록 비 오시고
상처투성이로 말라가던 빈 터
푸근하게 젖은 가슴 열고 있다

원주민 느티나무

이편한세상 아파트와
방배1파출소 사이
아스팔트 언덕길 양쪽에
남아 있는 작은 숲

여섯 그루 키 큰 느티나무는
형제일까
나이는 334살
한 그루는 316살

보호수 안내판
앞에 세우고
이미 죽은 부위는
시멘트 수술을 받기도 했지만

그래도 마지막 인디언처럼
살아남은 원주민
옛 마을은 자취 없고

옛사람들 진작에 떠났지만

방배로 플라타너스

오래된 것이
하나도 없는 거리

70년대 플라타너스 가로수가
그중 오래인 거리

그것도 간판을 가리니 뽑아버리라는 민원이지만
이미 커버린 나무 뽑고 바꾸기에 돈이 너무 많이 들어

프랑스 샹젤리제 거리 플라타너스같이
사각으로 가지를 쳤다

깍두기같이 각설탕같이
사각의 모자를 쓴

방배로 플라타너스는
그렇게 살아남았다

랜드로버 위의 달

키 큰 미루나무가 없어
달이 쓸쓸하다
하얗게 빛나는 냇물이 없어
그 냇물 위에 징검다리 없어
달이 쓸쓸하다

바스러질 듯 낡은 함석지붕
흙벽에 내걸린 시래기 없어
황토흙 마당 한 구석
조약돌 깔린 장독대
빛나는 둥근 항아리 없어

달이 쓸쓸하다
랜드로버 자동차 전시장 옥상 위로
별도 없이
구름도 없이
저 혼자 떠오른 달은

까 까 까마중

어린 시절
판자울타리 밑 수챗가
배고픈 작은 입
자줏빛으로 물들이며 따먹던
반질반질 콩알만 한
까마중 열매

굴러다니다
으깨어지다가
그 안의 작은 씨앗
어디 어디
까마득히 묻혔다가
까마득히 숨 막히다가

한여름
내방역 3번 출구 옆
자투리땅 화단에
의젓하게 자리 잡았다

감자꽃 같은

작고 하얀 꽃 피었다

쪼쪼쪼 강아지풀

낡은 신호등 강철 기둥
밑바닥
볼트로 조여맨 사각의 콘크리트와
보도블록 사이
흙도 보이지 않는
그 좁은 틈에 솟아난 강아지풀

그래도 제법 통통한 이삭
꼬리처럼 흔들며
눈을 맞춘다
그래 쪼쪼쪼 쪼쪼쪼
강아지 부르면
금세라도 몸을 빼쳐 따라올 듯

돌아보면 모두 떠난 것은 아니어서
더러는 돌아와
어제의 추억을 펼쳐 보이지만
틈이 너무 좁아

그 틈에 발 아프도록 박혀 서서
강아지풀은 다시 떠나고 싶다

카센터 민들레

동네 작은 카센터
문턱
차가 딛고 오르라고 비스듬히 깔아놓은
옆이 막힌 두꺼운 강철판
틈서리
노란 민들레꽃 피어 있다

까만 기름때 낀 민들레

작년에도 그 자리
노란 민들레꽃 보았다
아마 겨울 넘어
똑같은 민들레였을 것이다

자반고등어

마트 냉장 진열대
머리는 잘린 채 말끔히 손질되어
투명한 비닐에 갇힌
자반고등어
아직도 등은 푸른데

슬프지 않은 내가
슬픈 나를 바라본다
오래전에 떠난 내가
아직 떠나지 않은 나를
물끄러미 서서 바라본다

그러나 끝내 손 내밀지 않고
다시 카트를 밀며
이명처럼 푸른 숲 넘어
워워워워 워워워워
벙어리뻐꾸기 울음소리 듣는다

방림시장 걸으며

지금은 방배역
먹자골목 늘어선
옛 방림시장 걸으며

지워지지 않는 건
눈 내리던 밤
그 언덕길 골목 모퉁이

고개 숙인 채
머플러에 입술 파묻고
돌아서 가던 뒷모습

가로등 불빛 사이로
하염없이
눈은 내리고

방림시장 걸으면 지금도
그 언덕길 눈 내리고

돌아서 가던 뒷모습

제2부

코로나바이러스

보이지 않는 것이 얼마나 두려운가
불온한 저 공기
경계의 눈빛
주먹 마주 댄 악수

찰흙같이 닫힌 우리의 몸
바람 없는 기억 속을
소리 없이 나비가 난다
나비가 난다

팬데믹

그대
메마른 입술 사이로
새어 나온
한 마리
하얀 나비

꽃 위에 앉아
이슬 터는 날갯짓에
세계는 진동하고
연못 위로 퍼져나간
파문

바람 없는 속을
비틀거리며 나비가 난다
하늘로 솟구치다가 내리꽂히다가
유리창에 머리를 부딪치며
피 흘리고

문 닫힌 노래방
마이크 위에 내려앉은 나비
에디트 피아프의 애절한 음색으로
장밋빛인생을 노래한다
죽음은 두렵지 않아요
단지 외로움이 두려울 뿐이에요

검정 마스크를 쓴 소녀

검정 마스크를 쓴 소녀는
눈이 예쁘다
어깨에 기타 통 메고
노란 은행잎 깔린
보도 위를
춤추듯 걸어온다

검정 마스크를 쓴 소녀는
눈이 예쁘다
거침없이
부딪쳐오는 눈빛 속에
노란 나비 떼지어
날아오른다

검정 마스크를 쓴 소녀는
이 가을이 행복해
코를 가렸어도
입을 가렸어도

반짝이는 눈빛으로
죽음의 로망스를 튕겨낸다

작약

자줏빛 커다란 꽃잎이 지는 것은
무너지는 것이다

낡은 흙집
서까래 내려앉듯

하늘 한 조각
풀밭 위에 내려앉아

그제야 노랑 삼회장저고리
자주 고름 풀고 있다

아, 낙화

한겨울밤 모두 잠든 사이
툭
통째로 몸을 던지는 동백
아, 낙화

몽골 인적 없는 초원에
시베리아 타이가 삼림 지대에
별똥 떨어진 소리가 여기까지 들렸을까
툭

아니면 눈 덮인 툰드라
하얀 입김 내뿜는 순록의 뒤척임에
마른 나뭇가지 하나 부러지는 소리 들렸을까
툭

슬픔도 무엇도 분간할 사이 없이
세상 한 귀퉁이 울리고 떠나가는
아주 작은 소리

툭

수국

물빛 그늘에 잠긴
그리움이야

꿈인 듯
한결같지만

철 따라 뿜어내는
빛깔은 달라

연한 자줏빛이었다가
잉크 빛 푸른색이었다가

이젠 낡아가는
분홍빛 떨기

가을 푸른 하늘
바라고 섰다

구절초

코로나 때문에
면회도 못 간 사이
한밤중에 요양원 병실에서
혼자 숨을 거두신
어머니 분골을
집에 모셔 두었다가
코로나는 여전하지만
그래도 겨울 오기 전에 안장하려고
분골 가슴에 안고 올라간
선산 납골묘
바닥 돌 틈에서
길게 뻗어 나온
한 줄기
구절초
아마도 어머니는 그 산비탈
버얼써 오셔서
자식들 보고
어서 오라고 반기시는지

유난히 하얗게 핀

구절초 한 송이

가을 햇살 속에 눈이 부셨다

들판 건너 불빛은 아름다웠다

깜박이는 듯
아마 바람이었을 것이다
깜박깜박
물 먹은 듯 까만
들판 건너 불빛은 아름다웠다

장모를 화장해서
소나무 밑에 묻고 돌아온 저녁
빈집 쇠문을 밀고 들어서면
담벼락 밑 화단 눈밭에
아직도 붉은 장미 노란 국화꽃
사람을 반기는데

장모는 어디 갔나
이 꽃들 두고 어디 갔나
마을회관에 잠깐 마실갔을까
아니면 뒷잔등
앞서 보낸 막내 무덤에나 갔을까

다 저녁때 집 놔두고 어디 갔을까

깜박이는 듯
아마 바람이었을 것이다
물 먹은 듯 까만 들판 건너
아름다웠던 불빛은
아마 바람이었을 것이다

부추꽃 당신

장모 떠난 빈집
부추꽃 피었다
오래 베어 먹지 않아서
부추에 꽃이 피었다

장모가 무쳐 주던 부추겉절이
알싸하게 입 안 맴도는데
장모는 먼 길 떠나고
부추꽃만 남았다

헝클어진 텃밭 모서리
철없이 부추꽃은 피어
하얀 꽃이 노란 꽃밥 물고
늦가을 벌 나비 부르는데

빈집처럼 나는 외로워
마당 헤적이는 바람처럼 외로워
가슴속엔

하얀 별이 진다

울음 빠져나간 몸

창가에 떨어져 죽은
매미의 유체

울음 빠져나간 몸이
그렇게 아름다울 수 있을까

울음 빠져나간 몸이
살아 있는 듯 깨끗하다

손바닥에 올려 보니
아무런 무게감도 없다

땅속 울음까지 다 울고
사랑 부르던 마지막 울음까지 다 울고

긴 대롱 같은 입을 가슴에 붙여 접고
다리는 가슴에 가지런히 모아 그러쥔 채

지금 매미는
선정에 들었다

장마 속 잠자리

장마와 장마 사이
구름 사이로 느릿한 햇빛 비치는 오후
낡은 프로펠러 전투기 같은
잠자리가 난다

A동과 B동 사이
몇 평 안 되는 작은 정원 위를
갓 탈바꿈한 듯
노르스름한 고추잠자리 몇 마리

이리 갔다 저리 갔다
때로는 휙 휙
때로는 제자리 머무는 듯
연습 비행하다가

장마와 장마 사이
지층과 지층 사이
잠자리 어디론가 사라지고

다시 잿빛 하늘만 남았다

모딜리아니의 꽃

무너져가는
낡은 지층 위에
노을빛 능소화 피었다

잘려진 고욤나무 둥치를 감싸 안고
더러는 가지 늘어뜨린 채
청동의 짙푸른 잎 사이

한 세기 전
모딜리아니의 나부 같은
노을빛 능소화 피었다

겨울 능소화

곧바로 걸어온다고 했는데
이리 돌고 저리 돌아
막다른 골목길
낡은 연립주택 기울어진 담벼락에 기대어
겨울 능소화

푸른 잎사귀 다 떨구고
붉은 꽃송이 다 떨구고
몸속의 색깔마저 다 지우고
제가 감싸 올랐던
썩은 나무둥치 시커멓게 드러낸 채

더 이상 오를 수 없는 하늘
잿빛 적막 속으로
하얗게 마른 가지 뻗치고 있다

과꽃

현관 좌우 둥그런 시멘트 화분 위에
누군가 심어 놓은
과꽃 한 다발
보랏빛, 하양, 진분홍빛 수수한 꽃

화장하지 않은 민낯의
순 시골 아줌마 같은 꽃
달콤한 초콜릿보다는
쑥개떡 같은 꽃

이제는 아무도
쳐다보지 않는 꽃
이제는 아무도
그 이름 부르지 않는 꽃

제3부

방배동 고갯마루

방배동 고갯마루
오늘은 둥실
뭉게구름 떠 있는데
모처럼 둥실
고갯마루 쉬어 가는데

서리풀터널 빠져나온 차들은
내방역 지나
고개를 치고 올라가고
올라서서는 이수역으로
쏜살같이 사라진다

흐르는 듯
흐르지 않는 듯
고갯마루 구름은
오늘은 모처럼
쉬어 가고 싶은데

때죽나무

관악산 동쪽 자락
과천 향교 위
돌담집 옆 계곡가에
때죽나무 한 그루
별 같은 꽃 가득 피웠다

어젯밤
하늘에서 내려온 별들
가지마다 다닥다닥
노란 꽃술 매달고
작은 종처럼 아래를 향해 피었는데

파전 부치던 술집 아낙은
벽에 써 놓은 나무 이름을
한참을 들여다보고 때죽나무! 외치는데
일 년을 또 잊었었구나
잊고 살았었구나

막걸리 한 주전자 비우면
세상은 문득 밀물져 가고
때죽나무 저 혼자
힘주어 구경을 여는지
가지마다 하얀 나비 훨훨 날아오른다

지붕 위의 나팔꽃

아침 출근길 장승배기역에서
백로공원 올라가는 언덕길
축대 밑 무너질 듯 낡은 집 지붕 위에
보랏빛 나팔꽃 피어 있다

지게에 나무통 지고 다니던
새우젓장수 따라간 줄 알았더니
이삿짐 마차에 얹힌 무쇠솥단지
이불 보따리 따라간 줄 알았더니

이른 아침
낡은 집 지붕 위에 올라앉아
햇빛 속에 이슬을 털고 있다

길 건너 25층 아파트 공사장에는
까마득한 타워크레인에 매달려
철강재 하늘로 올라가는데

그건 나도 몰라유

우리는 이 집밖에 몰라유

나팔꽃 가족 아침 햇빛 속에

철없이 해맑은 얼굴을 들고 있다

어벤져스 투 찍던 날

마포대교 차단하고
어벤져스 투 찍던 날
지구의 안보가 위협받는 상황에서
아이언맨, 토르, 헐크, 캡틴 아메리카
블랙 위도우, 호크 아이
미국의 모든 슈퍼히어로들 불러 모아 세상을 구하는
어벤져스 작전 찍던 날

방송통신고등학교 강의 빈 시간
3층 화장실 창 너머
멀리 마포대교 바라보다
눈길 내리면 바로 코앞
영화초등학교 뒷골목
재개발에서도 밀린
오래되고 낡은 옴팡 동네 바라본다

장독대 위 옹기들은
봄 햇빛에 반짝이는데

매화나무 하얀 꽃잎은

노란 비닐 장판 쓴 평상 위로 내리고

인적없는 골목길은 햇빛만 가득한데

어벤져스 지구가 엎어지고 자빠지는 날

옴팡 동네는 세상모르고 태평하다

언덕길 찔레나무

백로공원 올라가는 언덕길
비탈 덤불숲에
찔레나무 한 그루
숨어서 피어 있다

가녀리게 뻗은
초록색 줄기 끝
하얀 꽃송이
몇 개

세상이 낯설어진 것일까
냇물은 말라버리고
기억조차 아슴해져
적막한 가슴

석양빛 비스듬히
바짓가랑이에 감기는
언덕길 찔레나무는

숨어서 혼자 나지막한 향기 흘리고 있다

애벌레의 꿈 같은 잠

수직의 건물과
수직의 계단과
하루 종일 척추를 곧추세운
수직의 일상

그 수직의 거리 돌아와
비로소 자리에 눕는다네
해저 같은 바닥에
수평의 잠

척추를 눕히고
머리통을 눕히고
팔다리를 펼쳐 눕히고
발가락도 꼼지락거려보지

그러나 반듯이 눕는 것도 잠시
이내 이불 말아 사타구니에 끼고
모로 누워 다리 구부리고

공 굴리듯 나를 구부리고서야 잠든다네

나이 먹어서도 결국은
어머니 뱃속
태아의 잠
애벌레의 꿈 같은 잠

누워서 빗소리 듣는 건

한밤중 잠자리에 누워서
빗소리 듣는 건
작은 행복이다

열린 창문 너머
내리는 빗소리는
어딘가에 부딪는 소리

이웃 빌라 지붕에 부딪고
화단 감나무 잎새에 부딪고
골목길 아스팔트에 부딪치며 내리는 비는

부딪치며 아늑하다
부딪치며
온몸이 젖는다

빗속에 고단한
귀가 눕는다

완두콩 꼬투리

초여름 사당동 남성시장에서
붉은 양파망에
가득 담겨온 완두콩

길고 푸른 꼬투리 속에
쪼란히 들어앉은 완두콩이
형제들같이 정답다

잡은 손 놓치면 큰일 날까 봐
나란히 꼬옥 손잡고
장 구경 나온
코흘리개 동네 꼬맹이들

우면산 개쑥부쟁이

도연명은 동쪽 울타리 아래서
국화를 꺾다가
고개 들어 멀리
남산을 바라본다고 했지만

유유자적
그윽한
그 경지는
평생을 두고도 알기 어려워

나는 나만 한 키에
늘 잿빛 미세먼지 뒤집어쓴 채
소처럼 엎드려 있는
우면산 골짜기에

어지럽게
개쑥부쟁이나 키우며 산다

저물녘에도

돌아올 새 하나 없이

수반

어릴 적에는 밥을
물에 말아 먹으면 혼나기도 했지만
이 여름 계속되는 폭염에는 별수 없다
물에 만 밥에
풋고추 된장 찍어 먹거나
멸치 고추장 찍어 먹으면
입맛이 되살아나

옛날 성종 임금도 그랬다던가
가뭄이 심하니 낮 수라는 수반을 올리라 했다던가
그러나 고대하던 비도 오고 논에 물이 채워졌는데도
계속해서 수반을 드시니
신하들이 이제 제발 그만 드시라고
간청을 해도 마다하면서 결국 하는 말이
세종 임금은 풍년에도 수반을 드셨다면서
이제도 수반을 먹는 것은 가뭄 때문이 아니라
더운 날에는 이것이 맞다라고 했다던가

삼십팔 도 삼십구 도
연일 최고 기온을 갱신하면서
자주 물만밥 먹다 보니 입맛을 들여
이제는 물만밥이 최고의 밥상이 되었구나
왕의 밥상이 되었구나
고기반찬 하나 없이
세상 평등한 밥상이 되었구나

만보계

서랍 안쪽 뒤지다 보니
오래전 판촉물로 받았던
만보계가 얼굴을 내민다

처음 받았을 땐 신기해서
한동안 허리춤에 꽂고 다니며
만보를 채우려고 애를 쓰다가
시나브로 잊었는데

어느 날 뉴스는
만보가 미신이라며
만보걷기운동은 일본의 한 시계 회사가
만보계를 팔기 위한 상술에서 비롯됐다는
미국 뉴욕타임스 기사를 전한다
또한 걷기 운동의 최적점은
하루 7,000~8,000보라고도 하는데

하이고! 베라별 사기도 다 보겠네

더 걸어서 나쁠 것은 없지만
그렇잖아도 바쁜 사람들에게
하루 2, 3천 보는 아깝게도
아무 쓸모 없는 운동이 된 것이다

빠삐용 의자

법정 스님 떠난
송광사 불일암
처마 밑에
빈 의자
우툴두툴한 참나무 장작개비로
스님이 손수 만들고
빠삐용 의자라
이름 붙였다는

시내에 볼일 보러 나갈 때
스님은 가끔
조조영화를 보았대지
영화 빠삐용을 보고서는
영감을 얻어
빠삐용 의자라 이름 붙였대지
빠삐용이 절해고도에 갇힌 건
인생을 낭비한 죄
나도 빠삐용처럼

인생을 낭비하고 있지는 않은지
생각해보자는 뜻이었대지

어제의
빠삐용 의자에
오늘은
허공이 내려앉아
졸고 있다
스님 떠나고
텅 빈 숲
저만치
하늘로는
흰 구름 떠가고

슬플 때 나는 따뜻해진다

슬플 때 나는 따뜻해져
가슴엔 한 잔
눈물이 배어 나오고
옛사람 생각에
혼자 외롭게 따뜻해진다

그대 나를 안아 주렴
그대 가슴에 기대어
마음 하나 내려놓고 싶다
팔은 네 몸을 둘러
네 등허리 골
마디마디 하나하나 눌러 내리며

왜 그때는 사랑이 그렇게 어려웠을까
왜 그때는 사랑이 그렇게 서러웠는지

슬플 때 나는 따뜻해져
편지를 쓰고 싶다

은행나무 연필로

이 세상 마지막 고백처럼

그때 널 사랑했었노라고

나선에 대한 오랜 기억

소라의 열린 입술 속을 들여다보면
두고 온 바다
떠나 온 바다
모래밭 걸어 나오는
발자국 소리 들린다

소라의 열린 입술 속으로 들어가면
집으로 가는 길
거대한 나선의 벽 기억을 따라
아늑한 은백색 커튼
빛나는 적막

나의 욕망과 슬픔이
부드럽게 뒤틀려 오르며
처음 시작된 곳
DNA 유전자와 영락이 매달린
꿈의 자궁

바다는 출렁이며 소용돌이치지만
나는 소라껍질 속으로
나선의 오랜 기억 속으로
걸어 들어간다
다시 고요한 태풍의 눈 속으로

내 마음속 우주

어차피 처음과 끝은
묻지 말자
답하지 말자

스티븐 호킹이
우주는 저절로 생겨났다 했을 때
나는 그 말이 꼭
샤먼 무당의 중얼거림 같아

그렇지
우주는 저절로 생겨나서
지금 내 마음속
작은 집

한없는 출렁거림
신나게 춤춤
춤추며 흐느낌
그러고는 지쳐 잠듦

무 · 시 · 무 · 종

제4부

큰고니는 예벤키를 닮았다

1

큰고니는

2020년 1월 30일 창원 주남저수지에서 GPS–휴대전화
기반의 위치추적기[WT-300]를 배낭처럼 등에 달았다 태양광
으로 충전하는 무게 27g의 배낭

3월 2일 주남저수지를 떠났다 첫날은 약 923km를 비행하
여 다음 날인 3일 중국 랴오닝성 단둥시 다양강에 도착했다

3월 18일은 중국 내몽골자치구 퉁랴오시 인근 습지로
날아갔다

4월 3일 다시 이동을 시작하여 내몽골자치구 후룬베이얼
시 습지와 러시아 부랴티야 지역의 호수 등에서 머물렀다

6월 7일 드디어 러시아 크라스노야르스크 예벤키스키군
습지에 도착했다

9월 29까지 예벤키스키군 습지에 머물던 큰고니는 다시 이동을 시작하여 러시아 부랴티야 지역의 바이칼호 인근 습지와 내몽골자치구 퉁랴오시에서 머물렀다

11월 9일 퉁랴오시를 출발하여 37시간을 비행한 후 11월 10일 주남저수지에 도착했다

왕복 8,265km, 아직 해는 바뀌지 않았다

2

큰고니가 짝짓기를 하고 새끼들과 함께 돌아온 러시아 크라스노야르스크 예벤키스키군은 본래 예벤키자치구였다

예벤키족은 몽골인종으로 우리와 외모가 닮고 예벤키어는 알타이어계 만주퉁구스어파로 우리말과 닮았다

타이가의 맑은 영혼으로 불리는 예벤키족은 바이칼호 인근에서 발원하여 시베리아와 중국 동북지구 북부에 넓게 분포하지만 인구는 고작 8만여 명 큰고니 수보다도 적다

예벤키족의 문장에 그려진 원은 샤먼이 두드리던 북으로 우주를 상징한다 곰을 토템으로 한 그들이 텐트 앞에 세운 큰 새 장식물은 오리를 꽂는 우리의 솟대와 닮았다

순록 사육과 사냥이 주업인 예벤키족은 순록의 먹이인 이끼와 사냥감을 찾아 시베리아의 타이가와 툰드라를 끊임없이 이동하며 살았다

예벤키족의 천막집 '춤'은 긴 자작나무를 원뿔 모양으로 돌아가며 세우고 그 위에 여름에는 자작나무 껍질을 겨울에는 순록 가죽을 둘러치고 하늘로 구멍을 냈다

3

북극곰처럼 희고 큰 덩치를 생각하면 그리고 그곳에서 새끼들을 낳아 기른 것을 보면

큰고니는 예벤키의 타이가가 고향이다 툰드라의 새이다

그러나
예벤키에서 3개월 20여 일을 살고
주남저수지에서 똑같이 3개월 20여 일을 산다면
그리고 주남저수지에서 예벤키까지 3개월 걸려 돌아갔다
면
큰고니의 집은 모호해지고 만다
도대체 어디가 집일까

큰고니는 예벤키족 유목의 삶을 닮았다
순록의 이끼 찾아
타이가와 툰드라를 돌고 도는
떠돌이

땀에 젖은 날개로
돌아왔다 돌아가는
돌아갔다 돌아오는

천전리 물결무늬 화석

심각하게 따지고 되새겨보아야 하는 것은
팔구십 사람의 생애
가늘게 눈뜨고 뜯어보는 것은
고작 몇십 년
앨범 속 빛바랜 사진

울주군 천전리 개울가
너럭바위 위에 주름 잡힌
일억 년 전 물결무늬 화석 앞에 서면
차라리 무덤덤해져
눈은 그냥 바위 고랑 어디
편히 앉을 자리나 찾는다

일억 년 전에는
평원의 얕은 호숫가였겠지
바람결에 물결 찰랑였겠지
물결은 진흙밭에 이랑을 만들고
그 위를 목이 긴 공룡이 어슬렁거리고

그렇게 그렇게
물결은 돌이 되고
지층이 되었다가
다시 일어나 들뜨고 깎이다가
얼굴을 내민 흙바닥

어느 햇살 좋은 날은
천전리 어린 처녀들 개울가에 나와
너럭바위 공룡 발자국에서
빨래 방망이질을 하고
물결무늬 화석을 빨래판 삼아
서답을 치댔다고 하는데

지금 풀숲 우거진 개울가
너럭바위는 인적마저 끊기고
눈 감으면
억 년 고요 속을

어제 같은 물결만이
밀려왔다 밀려간다

가진리 물새 발자국

진주 가진리 공룡 발자국 화석 산지에 새겨진
수천 마리 도요물떼새 발자국은
무슨 암호 같다

1억 년 전 타임캡슐을 타고
지금 막 도착한
온기 있는 암호 같다

지금도 오스트레일리아 대륙과
시베리아나 알래스카 사이를 오간다는
도요물떼새

호숫가 진흙밭에서 무리 지어 먹이를 쪼며
공룡 발자국 위에 찍어놓은
물새 발자국은

돌 속에서 모지라진 몸을 추스르며
다시 1억 년의 비행을 꿈꾸는

살아있는 암호 같다

부여 궁남지

부여 궁남지는
수양버들 늘어진 가지
바람에 흔들리는
푸른 주렴 사이로 보아야 한다

혹은 멀리
못가에 늘어선
수양버들 물 위에 비치어 나타나는
그림자로 보아야 한다

한여름 백만 송이 꽃 피우는
늪지의 연꽃은
지금 겨울 속에 침묵하고
조금은 황량한 봄에

천사백 년 전 백제 무왕 때
이십 리 밖에서 물을 끌어다가
사방 언덕에 버드나무 심고

물 가운데는 섬을 만들어 신선의 정원을 꾸몄다는

궁남지는 이제
닫힌 문틈으로 보아야 한다
흔들리는 수양버들
물그림자로 보아야 한다

만항재 마타리꽃

옛날엔 화전민들 몇 가구
등 기대고 살다가
60년대 이후엔
석탄 가루 뒤집어쓴
광산촌이었던 늦은목이

만항 마을 지나
만항재 오르는 길
산허리 돌고 돌아
늘어진 고갯길을
고물 아반떼 차가 올라간다

해발 1,341m
자동차가 오를 수 있는 아스팔트길 중
가장 높은 곳에 위치하고 있다는 만항재
옅게 깔린 안개 속을
전봇대가 따라서 올라간다

길이 어디에서 시작되었는지
어디에서 끝나는지는
나도 모르는 채
아무 바람도 없이
떠나온 길

고갯마루에 오르면
몽환처럼 온몸 감싸는 안개
낙엽송 사이 젖은 풀숲을 걸어
아무 의심 없이
노란 마타리꽃 앞에 서고 만다

함백산은 대박산

태백시 소도동과 정선군 고한읍 경계에 있는 함백산은
기암절벽 하나 없이
둥그스름하고 펀펀하게 퍼진 흙산
말없이 순한 짐승처럼
새끼들 젖 먹이고 있다

만항재에 차를 대고 오르거나
태백선수촌에 차를 대고 오르거나
한 시간이면 오를 수 있어
누구도 편하게 생각하는
함백산은 원래 대박산

영조 때 신경준은 산경표에서 대박산이라 써놓았고
고산자 김정호도 대동여지도에 대박산이라 써놓았다
대人는 우리말 '한' 곧 크다는 뜻을 나타내고
박ㅐ은 우리말 '밝'을 음으로 표기한 것
대박산은 '한밝산' 크게 밝은 산이라는 뜻
한밝산이 함백산이 되고 태백산도 되고

함백산은 우리나라에서 여섯 번째로 높지만
본래부터 높이를 다투던 산은 아니야
그냥 어머니처럼 편한 산
꼭대기까지 곁을 다 내준 채
안개 속에 야생화나 기르고 있다

구루지

아홉 노인이 바둑 두며 살았다던
구로동의 우리말 이름은
구루지
우묵 들어간 땅
지대가 낮은 곳을 부르던 이름

사십여 년 전
칠 년여를 살았던
기억만 믿고
구루지 마을 찾아 나선 길
아홉 노인 찾아 나선 길

김밥 한 줄 깨물고
빨대 커피 빨며
종일을 걷고
여기저기 기웃거려 보아도
이제는 흔적조차 찾기 어려워

구로공단은 거대한 빌딩숲으로 바뀌고
지식산업센터로 바뀌고
이름도 G밸리
딴 세상에 온 듯
마법의 성처럼 탈바꿈한 모습 보며

다시 처음 떠났던
디지털단지역으로 돌아오는 길
종일 입속을 맴돌던
구루지 마을은 끝내
잃어버린 전설이 되고 말았다

동작동 갯마을

마을 앞으로는 동작대로
자동차들 내닫고
4호선 전철이
이수역에서 동작역으로 가는 중간쯤
산자락에 갯마을이 있다

마을 앞으로는 관악산에서 흘러내린
방배천이 흐르고
그 물이 서초동에서 흘러온 반포천과
서로 만나는 이수나루
일대가 갯가였던
동작동 갯마을

동작나루 뱃사공들이
많이 살았다지
아마 고기 잡는
어부들도 살았겠지
고단하게 강에 기대어 살던

옛날 옛적 갯마을

지금 개울은 복개되고
뻘은 메워진 채
길이 되고 아파트가 되고
교차로는 허공에 걸려 있는데
땅이름은 아직도 갯마을
옛날 옛적 갯마을

장승배기

정조가 아버지 사도세자 찾아가는 길에 쉬었다던
장승배기 언덕
상도10구역 주택 재개발 현장
새벽부터 25톤 덤프트럭에 실려
흙이 떠나간다

가까스로 사람 하나 지나던
언덕배기 골목길
따개비처럼 어깨를 겯고 있던
키 작은 지붕들과 장독대는
포클레인이 이미 걷어낸 지 오래

이제는 나지막한 산의 붉은 속살이
거대한 포클레인의 삽날에 찍혀
집채만 한 덤프트럭에 실려 길 떠난다
무슨 의식처럼
열두 개 큰 바퀴를 물로 씻고

덤프트럭들이 줄을 지어
신호수의 신호봉, 호루라기 따라
우회전 다시 우회전
장승배기고개 떠나간다
흙이 떠나간다

하루 종일 떠나가는 흙을 보며
뭉툭한 주먹코에
키다리 장승은
퉁방울 같은 눈만
부라리고 서 있을 뿐

진골 쫄쫄우물로 들창 난 집

1897년 11월 23일자
〈독립신문〉 잡보에 실린 기사 하나
홍주 화성면 배울 사는 김덕정이라는 사람이
어음 우편 반쪽을 길에서 주워 가지고
신문사에 와서 주인을 찾아 주라고 했다는데
쪽지에 쓰여 있는 주소가 재미있다
진골 쫄쫄우물로 들창 난 집 사는 병정 김도익
그 사람에게 이 표지 주고 돈 찾으라는 것

진골은
종로구 운니동에 있던 옛 마을
진흙 니泥 자를 써서 니동
쫄쫄우물은
돌 틈에서 물이
쫄쫄 흘러나왔던 데서 비롯된 이름
들창은
들어서 위로 여는 창

그러니까 병정 김도익 씨 집 주소는

진골에 있는 쫄쫄우물 쪽으로 들창을 낸 집

숫자 하나 쓰지 않은

백 프로 순 자연산

아날로그 주소가

손금을 보는 듯 정겹다

느티나무께

내린천과 소양강이 합하는 인제읍 합강리에는
마을 한가운데 500살 넘은 느티나무 있어
느티나무께로 부르는 마을
한자로 바꾸었으면
괴정동이나 괴목동이 되었을 텐데
그냥 우리말 느티나무께로 남아 있다

째이지 않게 가까운 범위를 나타내는 말
'-께'가 붙어 넉넉한 느티나무께
낮에는 마을 사람들
그 넓은 나무 그늘에 앉아
땀을 들이는 쉼터이다가
별이 쏟아지는 밤이면
그 나무 언저리 어디
동네 처녀 총각 어깨 맞대고
소곤거리던 곳

둘러보면 '-께'가 붙은 땅이름 많아

봉춘네집께 너른마당께

당나무께 독다리께 큰어더(언덕)께

두부공장께 도수장께

지도에도 나오지 않고

면사무소 지적에도 오르지 않은

암호같이 작은 땅이름으로 남아 있다

성마령

가리왕산 능선에 걸쳐진 성마령은
예전엔 정선에 드는 관문
대처로 나가려면 거쳐야 했던 길
그러나 하도 높고 험해
별을 만질 듯이 높다는 뜻에서
성마령이라는 이름 붙었다

'마摩'에는 갈다는 뜻도 있지만
닿다, 어루만진다는 뜻도 있어
성마는 별에 닿는다는 뜻
별을 어루만진다는 뜻

별에 닿는 고개
별을 어루만지는 고개
별처럼 아름다운 이름이지만
이고 지고 두 발로
고개 오르내리며 살았던
필부필부의 삶은 고달파

아질아질 성마령
야속하다 관음베루
지옥같은 정선읍내
십년간들 어이가리
여인의 한숨 같은 아라리
정선아리랑 남겼다

계룡산 등운암

비구름 걸쳐 있는
산꼭대기 암자

아침부터 저녁까지
법당 처마 끝

방울방울
툭탁툭탁

꿈꾸듯
비 오는 소리

삼척 마지막 화전민

굴참나무 껍질로 지붕을 인
굴피집

시내 갔다 온 날
영감은
부엌 바닥에 앉아

아궁이 장작불 밑불에
자반고등어 굽고

패트병에 소주 한 잔
카아 들이키고 있다

더 이상 새롭게 불대기*는
꿈도 꾸지 못할 일

---

* 불대기(부대기): '불을 대다(놓다)'에서 온 말로 보이는데 예전에 화전을 일구는 일을
  가리킨다.

김달삼모가지잘린골

1950년 3월 22일
태백산지구 빨치산 사령관 김달삼은
정선군 여량면 반론산 어느 골짜기에서 교전 중
국군의 총알에 맞아 죽었는데
그의 나이 스물여덟 살이었다

발견 당시 그의 주검은
안경과 모젤 권총 한 자루와 수첩 한 권을 가지고 있어
그가 김달삼이라 추정했는데
누가 왜 그의 목을 잘라 어디로 가져갔는지는 알려지지
않은 채
김달삼모가지잘린골이라는 지명만을 남겼다

해방 전에는 일본국 유학도 하고
일본국 육군 소위였던 그는
스물여섯 살 제주 4·3 당시에는 무장대 총책이었다가
육이오를 앞두고는 태백산지구 빨치산 부대를 이끌고
남하해

반론산에서 스물여덟 생을 마감했다

제주에서 태어나 강원도 산골짜기에서 죽은 김달삼은
북한의 애국렬사릉에 가묘가 있는데
알고 보면 그의 이름도 가명
김달삼은 남로당 고위 간부였던
그의 장인이 쓰던 가명을 물려받았던 것

질풍노도 같았던 시대
한 줄기 시린 바람처럼 살다간 김달삼은
시신은 온데간데없이 사라지고
북에는 애국렬사릉 가묘와
남에는 김달삼모가지잘린골이라는 가명의 지명만을 남
겼다

법성포 가는 길

한밤중 달빛 환하거들랑
헤드라이트를 꺼보세요
띄엄띄엄 무덤처럼 엎드린
인가마저 드문 시골길
달빛 환하거들랑
내 불을 꺼보세요
속도는 내지 마세요
이십 킬로 아니 십 킬로
그러면 걷는 맛도 날 거예요
옆자리에 친구가 있으면 좋지요
나지막이 옛날
트로트 노래 함께 부르되
핸들 두드리며 장단 맞추되
말은 하지 마세요
고창에서 흥덕 무장 거쳐
법성포 가는 길
어쩌면 갑오년 농민군의 더운 숨소리 들릴까요
저벅저벅 밤길 가던 산사람들

발자국 소리도 들릴까요
한밤중 달빛 환하거들랑
헤드라이트를 꺼보세요
내 불을 꺼보세요

다섯 개의 작은 에피소드

−발문을 대신하여

윤재철

8년 만에 여덟 번째 시집을 낸다. 모두 61편을 묶었다. 세상은 눈을 비비고 보아야 할 정도로 빠르게 변해가는데 나의 시적 반응은 너무 굼뜬 것이 아닌가 싶다. 천성이 느리고 게으른 탓도 있지만 더듬이가 무디어지고 소신이 녹어진 탓도 있으리라. 그러면서도 발문을 굳이 내가 써 보겠다고 마음먹은 것은 다른 이유는 없다. 단지 이제까지 내 시집의 관행에서 좀 벗어나고 싶어서이다. 또한 옛사람들 도 더러는 책을 펴내며 스스로 지은 '발跋'을 책 끝에 붙이는 것을 보았기 때문이다. 이제까지 내 시집의 발문은 문학평론 가나 나를 잘 아는 동료 시인들이 써주었는데 이번 시집에서 는 그것을 바꾸어 조금 변화를 주고 싶었다.

그런데 막상 쓰려고 보니 이게 만만치가 않다. 원래 발문이라는 것이 본문 내용의 대강이나 간행 경위에 관한 사항을 간략하게 적는 글이라지만 정해진 형식이 없이 자유롭게 쓰는 글이라서 다양한 면모를 보이게 마련인데 내가 나의 시에 대해 쓰자니 스스로 자유롭지 못하다는 것을 깨달았다. 그렇다고 좀 더 객관화시켜 해설처럼 쓰자니 그것도 자기합리화로 흐를 가능성이 크다는 생각이 들어 그럴 수도 없었다. 그래서 궁여지책으로 몇몇 시를 짓게 된 동기나 배경이 되는 이야기, 재미는 별로 없지만 에피소드라 할 만한 이야기를 써서 시를 이해하는 데 도움이 되게 하는 것이 낫겠다고 생각을 정리하게 되었다. 그것은 직접적으로는 몇몇 시에 국한되는 이야기지만 전체적인 맥락에서 서로 통하는 것이고 포괄적으로 내 시의 지향점을 암시하는 것이라고 생각했다.

첫번째 이야기—사라지는 것들을 위하여

어떻게 방배동에 흘러 들어와 산 지도 20여 년이 되어 간다. 방배동이라면 얼핏 부자 동네를 떠올리기도 하는데 알고 보면 그렇지도 않다. 방배동도 꽤나 넓어서 부자 동네로 알려진 곳은 서래마을 쪽 일부이고 나머지 대부분은 전형적인 중산층 동네인데다 더러는 좀 후진 동네가 있기도 하다. 내가 사는 곳은 내방역 반포세무서 뒤쪽 언덕으로 고만고만

한 단독주택과 4층짜리 빌라(연립주택)들이 뒤섞여 있는 평범한 동네이다.

이런 동네에 그나마 정붙이고 산 데에는 그런대로 동네가 오래되고 안정적인 느낌을 준 것에도 이유가 있다. 물론 고풍스러운 것은 아니고 70년대 강남 개발 이후 새로 만들어진 변두리 신흥주택가가 연륜을 더하며 사람으로 치면 중년의 무게감 같은 것을 갖게 된 것이었다. 그것은 동네를 산책하며 마주치던 집집의 좁은 마당에 심어진 나무들에서도 확인이 되었다. 그것은 정원이라기보다는 좁다란 마당한 켠에 돌덩어리 몇 개 쌓고 나무 한두 그루에 화초 약간 심어 놓은 것에 불과한 것이었지만 사오십 년 세월이 흐르면서 나무는 장년의 모습으로 자란 것이었다. 감나무나 목련나무가 비교적 흔했고 매화나무나 라일락나무나 모과나무도 있고 드물게는 진달래꽃나무도 있었다. 조금 마당이 넓은 집에는 구부러진 붉은 소나무가 운치를 더해주기도 했다. 여름이면 덩굴장미가 무성하게 담장을 덮으며 꽃을 피워내는 집이 있고 주황빛 능소화가 담장 너머 꽃가지를 늘어뜨리는 집도 있었다. 그리 낡지 않았으면서도 담쟁이 잎이 집 벽을 벽화처럼 타고 오르는 집도 있었다.

몸이 안 좋아 가까운 산 우면산까지는 가지 못하고 동네 골목길이나 어슬렁거리며 산책하던 내게 주택가의 나무나 꽃은 큰 위안이었다. 콘크리트와 아스팔트로 뒤덮인 도시

한가운데에서 그것도 사오십 년 묵어 무성한 나무와 꽃들을 만나고 계절 따라 변해가는 모습을 가슴으로 느껴 보는 것은 큰 즐거움이었다. 아마 산책길에 그런 나무와 꽃들을 만나지 못했다면 산책길을 바꾸어 택시를 타고서라도 한강변으로 달려 나갔을 것 같다

그러던 것이 삼호아파트 가는 쪽으로 그나마 단독주택들이 많이 남아 있던 지역— 누가 어떻게 구획했는지 몰라도 사람들은 6구역으로 부른다— 에 어느 날부터 집들이 비워지고 노란 테이프가 둘러쳐지기 시작했다. 대문에는 재건축조합 이름으로 출입 금지니 경고문 같은 쪽지가 붙으면서 뭔가 수상한 기미가 보이기 시작한 것이다. 사실 이사 오는 날부터도 지속적으로 단독주택들을 무너뜨리고 그 자리에 다가구주택이며 빌라를 지어 왔다. 동네가 조용할 날이 없었다. 이 집을 부수면 몇 달 뒤에는 4층짜리 빌라가 들어서고, 저 집을 부수면 다가구주택이 들어섰다. 그러나 이제까지는 그런 공사가 개별적이었던 것에 비해 이번에는 한 구역 전체에 키 작은 집들을 밀어내고 이십몇 층 1,000가구가 넘는 대규모 아파트단지를 짓는 재건축사업이었던 것이다.

집마다 노란 테이프 둘러치는 일은 아주 천천히 진행되었다. 재건축사업이라는 것이 왕왕 그런 것처럼 방배6구역도 세입자 문제나 다른 무엇으로 소송이 걸리고 다툼이 일어나면서 사업 진행이 한없이 늘어졌다. 그러는 동안에도 나의

산책은 계속되었는데 집집의 변화를 비교적 자세히 지켜볼 수 있었다. 이사 간 집들은 처음에는 아주 멀쩡해서 금방이라도 안에서 사람이 나올 듯이 보였다. 노란 테이프 둘러친 것 말고는 내내 사람이 살고 있는 듯이 온기가 느껴졌다. 그리고 그런 온기를 내뿜는 것이 뜰의 나무와 꽃이라는 것도 머지않아 알아챘는데 주인이 떠나고서도 마지막까지 집을 지키고 있는 것이었다. 그에 비해 풀은 집을 비우고 아주 오랜 뒤에야 나타났다. 사람의 온기가 가시고서도 한참 뒤에야 무서운 속도로 집을 점령하듯이 진군해왔다.

오랜 시간에 걸쳐 집은 비워지고 이윽고 구역 전체에 가림막이 세워졌다. 가림막 속에서 종일 포클레인은 집을 부수고 25톤 트럭은 쉼 없이 잔해물을 실어나갔다. 70년대 강남 개발 바람을 타고 조성된 서초구 변두리의 신흥주택가가 다시 공터가 되는 순간이었다. 50년도 안 되어 되풀이된 새로운 개발이었고, 이번에는 돈방석 위에 앉는 아파트 건축이었던 것이다. 철거 작업이 계속되는 동안 나는 반대쪽으로 산보를 다녔는데 그곳 역시 방배5구역으로 딱지가 붙어 있었지만 아직 철거가 시작되지는 않았다.

내가 방배6구역 공터의 모습을 본 것은 철거가 끝나고도 한참 뒤였다. 가림막이 벌어진 사이로 하얗게 먼지 날리는 땅 위에 녹슨 철근 더미가 뒹굴고 있는 황량한 모습을 본 것이었다. 그러나 그것은 전혀 새로운 감흥이었는데 도심

속에 넓게 비워진 땅의 모습은 본래의 대지의 기억을 불러일으키는 것이었다. 수직의 모든 인공물, 건축물이 제거된 평평한 대지의 추억이었다. 그러다가 얼마 되지 않아 가림막은 높다란 철제펜스로 바뀌고 공터는 완전히 밀봉되었다.

그러다가 다시 공터를 본 것은 가을비 오는 날 저물 무렵이었다. 병원을 다녀오는 길에 어떻게 해서 한 짝이 열린 펜스 안을 들여다보게 된 것이다. 그리고 이번에는 공터가 아니라 기름진 밭을 보았다. 횟가루 뿌린 듯 허옇게 마른 채 녹슨 철근 뭉치만 뒹굴던 공터가 기름진 밭으로 살아나 있었다. 비가 충분히 온 탓에 검게 젖은 흙이 윤기가 났다. 무엇을 심어도 금방 싹이 날 듯이 보였다. 땅의 본래의 모습이었다. 인간의 시간과 시간 사이, 단독주택 철거와 아파트 재건축 사이 땅은 잠깐 본래의 제 얼굴을 내게 보여준 것이었다.

두번째 이야기—자작나무에 대한 동경

방배열린문화센터 7층 빌딩 앞을 지날 때마다 모퉁이 화단에서 자작나무 두 그루를 보는 일은 그리 편안치 않다. 아주 좁은 화단 그것도 안쪽으로 들어가 있는데다 나무가 작고 볼품이 없어 쉽게 눈에 띄는 것도 아닌데 지날 때마다 애써 눈길을 주며 불편해하는 것이다. 불편해하는 이유는 나무가 불쌍하다는 것이었고 거기에 자작나무를 심은 것은 나무를 고문하는 것이라는 내 나름의 자작나무론에 근거한 것이었다.

내가 아는 한 자작나무는 북방의 나무이다. 몸 빛깔(수피)이 하얀 것에서도 느껴지지만 눈 덮인 추운 지방에서 잘 자라는 나무이다. 시베리아나 만주 지방에서 울창한 숲을 이루며 자생하고, 우리나라에서도 금강산 이북에서 자라는데 특히 백두산이나 개마고원 일대에서는 땔감으로 이용할 정도로 아주 흔한 나무이다. 자작나무는 시베리아 샤먼들이 우주수로 삼아 생활 속에서도 아주 중요한 나무로 인식했던 것을 알 수 있다. 또한 북유럽의 신화 속에서도 자작나무는 중요한 소재로 등장하는데 이러한 사실들은 자작나무가 전통적으로 북방의 나무였다는 것을 증명해 준다.

많은 사람들이 자작나무에서 깊은 감동을 느낀 것은 〈닥터 지바고〉나 〈러브 오브 시베리아〉 같은 영화를 통해서인 것 같다. 영화의 명장면에는 어김없이 시베리아 설원의 눈 덮인 자작나무 숲이 등장한다. 그것은 추운 지방 러시아를 대표하는 풍경으로서 손색이 없었고 사람들의 뇌리에 감동적인 풍경으로 새겨지기에 충분한 것이었다. 영화가 아닌 실제에 있어서도 시베리아 횡단열차를 타고 러시아를 여행한 사람들이나 모스크바 남쪽에 있는 톨스토이 영지를 방문한 사람들은 우선적으로 자작나무숲에서 받은 감동을 이야기한다.

우리의 현대시 중에 자작나무에 대한 감흥을 노래한 대표적인 작품으로는 백석의 「백화」를 들 수 있다. 제목인 '백화白樺'는 '자작나무'의 한자어이다. 한자 '화樺'는 본래 '벚나무'나 '자작나무'를 표기할 때 두루 쓰였던 것인데 후대에 자작나무와 벚나무를 구분하기 위해 자작나무에는 '흰 백白' 자를 덧붙여 '백화'라 쓴 것이다. 평안북도 정주가 고향인 백석은 1938년 함경도 성천강 상류 산간 지역을 여행하고 쓴 연작시 「산중음」 중 「백화」라는 시에서 "산골집은 대들보도 기둥도 문살도 자작나무다 / 밤이면 캥캥 여우가 우는 산岎도 자작나무다 / 그 맛있는 모밀국수를 삶는 장작도 자작나무다 / 그리고 감로같이 단샘이 솟는 박우물도 자작나무다 / 산 너머는 평안도 땅도 뵈인다는 이 산골은 온통 자작나무다"라고 노래했다. 평안도와 접경을 이루는 함경도의 어느 깊은 산골의 풍경을 산도 자작나무고 집을 지은 목재도 자작나무고 불을 때는 장작도 자작나무라고 해서 온통 자작나무로 그려내고 있는 것이 인상적이다.

또한 고향이 함경북도 경성으로 흔히 '북방의 시인'으로 일컬었던 이용악은 1939년에 발표한 「두메산골 1」이라는 시에서 "들창을 열면 물구지떡 내음새 내달았다 / 쌍바라지 열어제치면 / 썩달나무 썩는 냄새 유달리 향그러웠다 / 뒷산에두 봇나무 / 앞산두 군데군데 봇나무 / 주인장은 매사냥을 다니다가 / 바위틈에서 죽었다는 주막집에서 / 오래오래 옛

말처럼 살고 싶었다"라고 노래했다. 함경도 두메산골의 정취가 물씬 풍기는 작품인데, 여기서 뒷산에도 앞산에도 널린 나무로 묘사하고 있는 '봇나무'는 '자작나무'이다. '봇나무'는 '자작나무'의 북한어이다.

이렇듯 문화적으로 풍성한 배경을 갖고 있는 자작나무를 문화센터 빌딩 모퉁이 화단에 두 그루나마 심은 것은 어찌 보면 당연한 일이었는지 모른다. 빌딩 모퉁이 화단에 나무나 화초를 심는 일은 하청받은 조경업자 몫이었겠지만 수목 선정에는 결재권자인 행정공무원의 동의도 있었을 것이다. 어쨌든 그 화단에 자작나무를 심고 가슴에 '자작나무'라는 플라스틱 이름표까지 묶어 놓은 것은 시민들의 자작나무에 대한 동경이나 관심이 반영되어 있다고 볼 수 있다. 그런 관점에서 보면 자작나무를 심은 것이 당연한 일이고 오히려 칭찬받을 일인지도 모른다.

문제는 그것이 나무에게도 옳은 일이었느냐는 것이다. 북방 시베리아 설원이나 함경도 깊은 산골짜기에서 숲(군락)을 이루어 자라기를 좋아하는 자작나무를 서울 한복판 대로변 7층 빌딩 모퉁이 옹색한 화단에 두 그루 심어 놓은 것이 자작나무에게 맞느냐는 것이다. 그곳이 문화센터 — 문화센터라지만 동사무소(주민센터), 보건지소, 어린이집도 있고, 헬스장이니 골프연습장 같은 체육시설도 있는 복합공간이다 — 라고 이름을 달았어도 말이다. 그것이 우리에게는 '낭만'으로 여겨질지 모르지만 정작 자작나무에게는 학대가 아니었을까. 본래 키가 곧고 아주 높다랗게 자라는 나무인데 겨울이면 목이 잘린 채 잔가지에 노란 낙엽 몇 장 매달고 서 있는 자작나무를 바라보는 마음은 이래저래 편치 않다.

세번째 이야기―큰고니는 떠돌이

우리나라에서 볼 수 있는 고니류는 큰고니, 고니, 혹고니 등 3종이 있다. 이중 가장 많은 것이 큰고니이고, 고니는 큰고니 무리에 섞여 적은 수만 관찰할 수 있다. 혹고니는 동해안의 석호 등에서 아주 소수로 관찰되는데 이들 3종은 천연기념물 제201호로 지정되어 있다. 고니는 큰고니와 아주 흡사한데 덩치가 조금 작고 부리 기부의 노란색 부분이 좁고 둥글면 고니로 구분한다고 한다. 모두가 희귀종이나 그래도 가장 많이 볼 수 있는 것은 큰고니이다.

고니류를 우리는 흔히 백조라고 불러왔다. 지금도 러시아의 차이콥스키가 작곡한 발레곡 〈백조의 호수Swan Lake〉나 별자리 이름 중 '백조자리Cygnus' 등에서는 여전히 백조라는 말을 쓰고 있다. 그러나 생물학계에서는 공식적으로 '고니'라는 이름을 쓰고 있고, 천연기념물의 이름도 '백조'가 아닌 '고니'로 올려놓고 있다. 『표준국어대사전』에서도 '백조'를 동의어로 올려놓고 있지만 주표제어를 '고니'로 삼고 있다.

인터넷상에서는 '백조'가 일본어이니 쓰지 말아야 한다는 논란도 있는데, '백조'가 일본어 투 표현이라는 근거는 따로 없다고 한다. '백조'라는 말은 본래 '흰 새'를 뜻하는 말로 우리도 예로부터 써왔던 말이다. 그러나 이를 '고니'를 가리키는 말로 쓰게 된 것은 일제강점기 때부터인 것으로 보인다. 일본 사람들이 '고니'를 '백조'라 부른 것에서 영향을 받은 탓이다. 그러니까 '백조'라는 말 자체가 일본어는 아니지만 '고니'를 '백조'라고 부르는 것은 일본어식 표현이라고 할 수 있다.

고니를 옛사람들은 '천아天鵝'라고 불렀다. '아'는 '거위 아' 자로 '천아'는 '하늘을 나는 거위'라는 뜻이다. 『태조실록』에는 "천아를 종묘에 올렸다"는 기사도 보이는데, 태조가 용흥에서 일어날 때에 길상을 예보하였다 하여 이를 천아라 부르고, 종묘에 올렸다고 전하기도 한다. 말하자면 고니가 왕조의 제사상에 오른 셈이다. 종묘에 천신하는 물품 중에는 아예 11월에 '천아'를 규정해 놓기도 했다. 나중에는 이것이 큰 민폐를 끼치게 되는데, 그만큼 고니가 잡기가 어렵고 값이 비쌌기 때문이다.

현대의 우리는 고니를 기품이 있고 우아한 새로 기억한다. 지금으로서는 워낙 귀한 새이고 또 본래가 아주 예민한 새라 가까이에서 자세히 바라보기가 어려운 새이지만 화면을 통해서는 가끔 이 새의 모습을 볼 수 있다. 그때 순백색의 우아한 몸매에 긴 목을 곧게 세우고 수면 위를 미끄러지듯 떠가는 모습에서 눈을 떼지 못했던 기억들을 갖고 있다. 또한 〈백조의 호수〉라는 발레 공연을 통해서도 기품 있고 우아한 이미지를 갖고 있는 것이 바로 '고니'라는 새이다.

그러나 이러한 고니의 우아한 자태 뒤에는 많은 고통스러운 몸짓이 숨어 있다는 사실을 우리는 잘 모른다. 당연한 일이지만 고니가 한가롭게 물 위를 떠갈 때 수면 아래에서는 오리발 같은 물갈퀴를 계속 움직여야 하고, 먹이를 먹을 때는 물구나무를 서듯 꼬리를 하늘로 들고 긴 목을 물속 깊이 넣어야 하는 것을 말이다. 잘 때도 고니는 갈대밭 한 켠에 한쪽 다리로 서서 머리를 등의 깃털 사이에 파묻고 잠을 잔다. 또한 고니는 대형 조류로서 인기척에 놀라 무거운 몸체를 들어 날아오르기 위해서는 한참 동안 물 위를 달려야 한다. 고니를 백조라고 부를 때는 그것이 어디 먼 이국의 아름다운 새쯤으로 인식했지 그의 고통스러운 몸짓에 대해서는 알지 못했다.

그러다 어느 날 다른 자료를 인터넷에서 검색하다가 천연기념물 큰고니의 이동 경로에 대한 신문 기사를 보고는 깜짝 놀랐다. 신문 기사들은 모두 국립문화재연구소 보도자료에 근거한 것이었는데 여러 가지로 놀랄 만한 사실을 전하고 있었다. 이 연구는 국립문화재연구소 주관으로 농림축산검역본부 역학조사과와 한국환경생태연구소, 창원시

푸른도시사업소 주남저수지과가 협업으로 진행하였다고 한다. 여기서 첨단 정보통신기술ICT은 고니에게도 적용되어 GPS-휴대전화 기반의 위치추적기WT-300를 배낭처럼 등에 단 고니는 태양광 충전방식을 사용하여 2시간에 한 번씩 위치를 확인하여 1일 1회씩 일괄 좌표를 알려주었던 것이다. 덕택에 고니의 이동 경로나 각 위치에 머무는 시간 등을 정확히 알 수 있었는데 사람으로 말하면 사생활의 비밀이 탈탈 털린 셈이었다.

자료를 몇 번이고 되풀이해 보면서 그렇다면 고니의 고향은 어디일까 하는 의문을 갖게 되었다. 날짜를 계산해 보니 고니가 주남저수지에 머무르는 시간이나 러시아 크라스노야르스크 예벤키스키군 습지에 머무는 시간이 3개월 20여 일로 비슷했던 것이다. 또한 러시아로 돌아가는 데에도 단번에 날아간 것이 아니라 여러 곳에 머무르며 3개월 넘어에 걸쳐 돌아갔고 돌아올 때도 40여 일 넘어에 걸쳐 돌아왔다. 어느 한 곳을 주 거주지라고 말하기가 어려웠던 것이다.

고니가 북극곰처럼 희고 큰 몸을 갖고 있고 예벤키스키군 습지 같은 북방에서 새끼를 낳고 기른다는 점에서 고니의 고향이 툰드라라고 한다면 할 말은 없다. 고니의 영어 이름도 툰드라 스완Tundra swan이다. 고니의 경우에도 자신이 태어나고 처음 날갯짓을 배운 곳을 고향이라고 한다면 별 이의가 없을 것이다. 그러나 위 자료에서 밝혀진 대로 번식지나

142

월동지에서 똑같은 기간을 살고 나머지 기간도 오고 가는 중간중간에서 산다면 고니에게 고향을 묻는 것은 별 의미가 없는지도 모른다. 고니에게는 머무는 곳 모두가 고향이고 8,000km 목숨 걸고 오고 가는 저 허공이 모두 고향일지 모른다. 말하자면 고니는 이래저래 떠돌이이고, 장거리 비행의 날갯짓은 고통스러운 생존의 몸짓에 불과할지 모른다는 것이다.

네번째 이야기—땅이름에 대한 관심

최근 몇 년은 땅이름(지명)에 완전히 빠져 살았다. 땅이름에 대해 관심을 가졌던 것은 오래되었지만 집중적으로 탐구하며 그것을 글로 쓰기 시작한 것은 요 몇 년 사이였다. 그 결과물로 세 권의 책(『우리말 땅이름』 1~3)을 펴냈고 네 번째 책을 준비 중인데, 땅이름 중에서도 우리말로 된 땅이름에 주안점을 두었다. 우리말 땅이름에 더욱 관심을 갖게 된 것은 그것이 빠른 속도로 사라져가고 있기 때문이었다. 어쨌든 땅이름을 공부하며 집필하는 동안 어떤 것은 산문으로 풀어 쓰기보다는 시로 쓰는 것이 더 좋겠다는 생각이 드는 경우가 있었다. 본래 우리말 땅이름이 풍부한 사물을 이용하여 직감적으로, 비유적으로 표현한 것이 많았던 탓도 있지만 그것에 얽힌 이야기가 내게는 시적인 감동으로 다가오는 경우가 많았기 때문이다. 4부의 시는 대체로 땅이름에 대한 나의 관심이 반영된 것들이다.

울산광역시 울주군 두동면에 속하는 법정리 천전리川前里의 우리말 이름은 '내앞'이다. '냇가 앞의 마을'이라는 뜻이다. '내앞'을 한자로 바꾸어 쓴 것이 내 천 자, 앞 전 자를 쓴 천전리이다. 조선시대 경주부 남면에 속할 때는 내전奈前이라 썼는데 이는 '내'는 뜻과는 상관없이 한자의 음을 빌리고(음차), 뒤의 '전'은 한자의 뜻을 빌려(훈차) 쓴 것이다. 천전리는 두서면과의 경계 지역에 경부고속도로가 지나고 남쪽은 언양읍 대곡리·반곡리와 접한다. 마을의 중심으로 울산 태화강의 지류인 대곡천이 흘러 주변 경치가 아름답기로 유명한데, 그 아름다운 경치 속에 많은 역사의 신비를 간직하고 있어 더욱 눈길을 끈다. 역사의 신비는 놀랍게도 1억 년의 편차를 갖는데, 1억 년 전 중생대 백악기로부터 선사시대, 삼국시대, 통일신라시대를 관통하는 것이다.

그중 내앞마을 천전리에서 하류 쪽으로 2km 지점에 있는 국보 제285호 울주 대곡리 반구대 암각화는 워낙 유명해서 설명이 불필요할 정도이다. 이는 우리나라에서 발견된 선사시대 암각화 중에서 가장 오래된 것으로 약 300여 점의 그림들이 새겨져 있다. 이 중에서 고래를 사냥하는 아주 사실적인 그림은 약 7,000년 전 신석기시대에 제작된 것으로 추정하는데 지구상에 현존하는 가장 오래된 고래사냥 그림으로 평가되고 있다. 현재는 댐 건설로 물에 잠기어 보존

문제를 놓고 논란이 계속 중인 유적이다.

또한 천전리에는 국보 제147호 울주 천전리 각석도 있는데 반구대 암각화보다 더 먼저 국보로 지정되었다. 역단층 운동에 의해 앞으로 15° 기울어진— 그래서 주민들은 삐딱바위라 불렀다 한다 — 매끈한 단층면에 석기시대 이후 조각·그림·명문 등이 시대를 달리해서 새겨져 있다. 각석의 위쪽에는 쪼아서 새긴 선사시대의 기하학적 문양과 각종 동물상이 새겨져 있고 아래쪽에는 삼국 및 통일신라시대 선각화와 명문 등이 새겨져 있다. 마름모꼴무늬·굽은무늬·둥근무늬·우렁무늬·십자무늬·삼각무늬 등의 기하학적 문양은 직선보다 곡선이 많고 상징성을 띠는 것이 많아 명확한 의미를 파악하기 어려운데 대체로 곡식이나 음식물 등이 항상 풍요롭기를 바라는 청동기시대인의 기원을 담고 있는 것으로 추측한다. 아래쪽은 삼국시대부터 통일신라시대에 이르기까지 여러 대에 걸쳐 제작된 것으로 보이는 선각화와 명문이 뒤섞여 있다. 명문 중 확인된 글자는 800자가 넘는데 신라6부 중에 사탁부라는 부명이 여러 번 언급되어 있는 것으로 보아 이곳이 사탁부 사람들의 고유 종교의식이 행해지던 성지였을 가능성이 높다고 한다. 그밖에도 제명에는 여러 화랑의 이름이 새겨져 있어, 당시 많은 화랑이 이곳을 찾아 도량으로 삼았던 것을 알 수 있다고 한다.

그런데 사람들의 발길이 머무는 것은 대체로 여기까지인 것 같다. 각석에서 바로 코앞 내 건너 너럭바위에 박혀 있는 1억 년 전 공룡 발자국이나 물결무늬 화석에는 별로 관심들이 없어 보인다. 공룡 발자국은 1995년 처음 발견되어 1970년에 발견된 각석보다는 25년이 뒤늦기도 했지만 실체가 그리 뚜렷하지 않고 보행렬이 없어서 그런지 별 흥미들이 없는 것 같다. 아니면 1억 년이라는 너무 먼 시간이 실감이 되지 않고 그런 흔적들이 이미 자연의 일부가 되어 있어서 평범한 풍경으로 인식되었는지도 모른다. 사실 공룡 발자국 화석이라는 것이 평평한 바위 면에 움푹 파인 작은 웅덩이에 불과한 것이 아니던가.

그러나 전문가들의 해설을 듣고 좀 더 관심을 갖고 들여다본다면 여간 감동이 큰 것이 아니다. 거기에 이 지역에 대한 지질학적인 이해를 곁들인다면 주변 풍경이 다시금 새롭게 보이는 것이다. 어쩌면 수풀 속을 대형 초식공룡인 울트라사우르스가 어슬렁거리며 먹이를 먹고 있는 모습을 상상해볼 수 있을지도 모르겠다. 대곡천 일대는 약 1억 년 전의 중생대 백악기 퇴적암층으로 구성되어 있다. 과거 경상남북도 일대에는 수심이 비교적 얕은 호소가 넓게 분포돼 있었는데, 그 호소에 쌓인 퇴적층이 융기해 경상분지를 만들었다. 이 대곡천 일대도 경상분지에 속한 지역으로 셰일과 사암, 이암 등의 퇴적암이 널리 분포되어 있다. 위의 국보 암각화들도 바로 이런 퇴적암 위에 새겨져 있는 것이다.

이 중 공룡 발자국 화석은 그래도 울산광역시의 문화재자료(제6호)로 지정되어 있다. 그러나 발자국이 있는 암반의 끝자락에 위치한 물결무늬 화석은 무엇으로 지정된 것도 없고 눈에 잘 띄지도 않는다. 그래서 모르는 사람도 많지만 나는 이 물결무늬 화석에서 공룡 발자국보다는 더 큰 감동을 받았다. 그것은 1억 년 전 물결이 호숫가에 남겨 놓은 흔적이다. 찰랑이는 물결이 부드러운 진흙밭에 빚어놓은 아름다운 무늬였던 것이다. 물결이 돌이 되고 지층이 되었다가 융기하고 다시 오랜 세월 깎이며 비로소 드러난 주름진 흙바닥은 1억 년의 세월을 느끼기에 충분했다. 그것이 무엇인지도 모르고 물결무늬 빨래판에 서답(빨래)을 치댔던 내앞마을 어린 아가씨들도 그것이 1억 년 전 물결의 무늬인 줄 알았다면 서답을 좀 더 살살 치댔을지도 모른다.

다섯번째 이야기—바람아 너는 알고 있나

식탁 내 노트북이 놓인 자리 옆에는 작은 FM라디오가 놓여 있다. 작업 중에는 거의 항상 켜져 있는데 따지고 보면 습관적인 행동이다. 귀담아듣는 경우는 거의 없고 그냥 흘러듣는 경우가 대부분이기 때문이다. 그것은 아나운서의 멘트가 길어지거나 내용이 신경을 잡아끌면 여지없이 다이얼을 돌려 버리는 데에서도 알 수 있는데 나는 음악이

내 귀에 담기기보다는 그냥 물소리처럼 흘러 지나가기를 바라서 그런 것이라고 생각한다. 그러다가 아주 드물게는 컴퓨터에서 손을 떼고 팔짱을 끼며 눈을 감는 경우가 있는데 좋아하는 곡이 흘러나올 때이다.

　그중에는 70년대에 통기타를 치며 부르던 포크송들도 있는데, 양희은의 〈아름다운 것들〉도 그 하나이다. 이 노래는 가사가 좋아 혼자서 더러 흥얼거리기도 했던 곡이다. "꽃잎 끝에 달려 있는 작은 이슬 방울들 / 빗줄기 이들을 찾아와서 음~ 어디로 데려갈까 / 바람아 너는 알고 있나 비야 네가 알고 있나 / 무엇이 이 숲속에서 음~ 이들을 데려갈까" 당시에 내가 알아듣기로 이 노래는 박정희 군부독재 시절 자고 일어나면 주변에서 소리 없이 사라져버린 친구들을 그리워하며 부른 것이었다. 그러나 이 노래는 금지곡은 아니었는데 가사 내용이 '이슬방울' '바람' '비'같이 깨끗하고 아름다운 자연물로 위장되었기 때문이 아니었나 싶다. 나는 가사 중에 '바람아 너는 알고 있나 비야 네가 알고 있나'라는 부분을 특히 의미심장하게 되새겼는데, 바람이나 비만이 알고 있는 진실은 비단 정보기관의 비밀스런 만행뿐 아니라 우리네 인간사나 자연사 중에도 많을 것이기 때문이었다. 이것은 밥 딜런이 부른 〈바람만이 아는 대답Blowing in the wind〉을 연상시키기도 했는데 해석에 따라 여러 가지 의미를 생각할 수 있었다.

그런데 〈아름다운 것들〉이라는 노래를 들으면서는 무슨 궁금증 때문이었는지 바로 앞에 놓인 컴퓨터로 검색까지 해본 적이 있다. 그러고는 여러 가지 사실들을 새롭게 알고 깜짝 놀랐다. 놀란 것은 이 노래가 당시 통기타 가수들의 창의적인 노래가 아니라 번안곡이었다는 사실이고, 조안 바에즈의 원곡 또한 영국 스코틀랜드 지방의 구전 민요라는 사실이었다. 또 맨 처음 우리말 가사를 쓰고 노래한 것도 양희은이 아니라 방의경이라는 이화여대생이었다는 사실을 알고는 놀라기도 했다. 〈아름다운 것들〉은 1971년 서울대 문리대 축제에서 이화여대 대표로 방의경이 노래하러 갈 때 미국의 반전 평화운동의 기수였던 조안 바에즈가 부른 〈매리 해밀튼Mary Hamilton〉이라는 곡에 가사를 바꾸어 처음 선보였다고 한다. 원곡 〈메리 해밀턴〉도 16세기경부터 영국의 스코틀랜드 지방에서 민간에 전래되며 불렸던 노래인데, 1960년에 미국 가수 조안 바에즈가 데뷔 앨범에 소개하면서 세계적으로 유명해졌다는 것이다.

내가 그때 놀란 것은 아무 의심 없이 우리 노래라고 생각했던 것이 미국 노래였고 또 그것이 스코틀랜드 민요였다는 사실이다. 나중에 안 바로는 이런 경로로 세계적으로 유명해진 노래(민요)가 〈아름다운 것들〉뿐이 아니었다. 이런 노래의 전파는 전염력이 매우 강한 것으로 요즘의 팬데믹을 연상시켰다. 물론 팬데믹은 전염병의 세계적 유행을 가리키지만 전염병만 빼면 세계적 유행은 비슷한 양상으로 느껴졌다. 말하자면 노래의 팬데믹, 음악의 팬데믹인 셈이다. 노래나 음악으로 말하자면 그렇게 우리는 일찍부터 팬데믹의 물결 속에서 살아온 것이었다.

FM라디오를 통해 내가 눈감고 듣는 노래 중에는 에디트 피아프의 샹송 〈라 비앙 로즈〉(장미빛 인생) 같은 것도 있다. 에디트 피아프는 샹송의 여왕이자 프랑스의 대중가요 역사상 가장 큰 발자취를 남긴 가수로 평가받는 인물이다. 특히 그녀의 허스키하면서 가냘픈, 그러면서도 애절하고 강렬한 음색은 독보적이면서도 세계적인 전염력을 가진 것이었다. 그런 점에서 그녀는 샹송의 세계화에도 큰 기여를 했고 우리나라에서도 샹송 하면 우선적으로 떠올리는 가수가 되기도 했다.

에디트 피아프는 이러한 천부적인 목소리 외에도 파란만장한 인생 경력으로도 세계인의 관심과 사랑을 받았다. 우선 태생부터가 남달랐는데 그녀의 아버지는 거리의 곡예사였고, 어머니는 이탈리아와 북아프리카계 혼혈로 거리의 가수였다. 피아프는 처음엔 알코올중독자인 외할머니에게 맡겨졌다가 나중에는 할머니가 운영하는 노르망디의 매춘업소에서 몸을 파는 여인들을 보며 성장했는데, 그녀의 142cm에 불과한 작은 키는 이러한 불우한 어린 시절의 환경에서 비롯한 것으로 보여 사람들의 가슴을 아프게도 했다.

언제나 검은 드레스를 입고 노래하기로 유명했던 그녀는
이브 몽탕 등 많은 남자와 사귀며 실연의 아픔을 겪기도
했는데, 말년에는 많은 병에 시달리며 모르핀과 술에 의지하
다가 1963년 47세의 나이로 짧은 생을 마감했다. 마지막
그녀의 체중은 30kg밖에 되지 않았다고 하는데, 가톨릭교회
는 그녀의 인생이 너무 방종했다고 장례 미사를 거부하기도
했다.

  '작은 참새'라는 별명을 가진 피아프의 사랑 노래는 사실
가난하고 불행한 사람들의 슬픈 사랑 이야기가 대부분이었
다. 이별하는 연인들, 평판이 나쁜 거리의 사람들, 한번
가면 오지 않는 선원들이나 손님을 기다리는 창녀 등 이
세상에서 소외된 사람들을 많이 노래했다. 소외된 사람들이
체념하면서 운명을 받아들이고, 반복되는 불행과 시련 속에
서도 삶의 동아줄을 놓지 않는 희망 등을 노래한 것이다.
프랑스 평론가들은 이런 피아프의 노래를 '샹송 레알리스트
Chanson réaliste' 곧 '사실적(현실적) 샹송'으로 분류한다고
한다. 내게 에디트 피아프는 애절한 노래는 물론이거니와
그녀를 괴롭혔던 태생의 외로움이나 사랑의 갈구가 또한
팬데믹으로 느껴지기도 했다.

그 모퉁이 자작나무

초판 1쇄 발행 2021년 11월 30일
    2쇄 발행 2022년 10월 05일

지은이 윤재철
펴낸이 조기조

펴낸곳 도서출판 b
등   록 2003년 2월 24일 (제2006-000054호)
주   소 08772 서울시 관악구 난곡로 288 남진빌딩 302호
전   화 02-6293-7070(대) 팩시밀리 02-6293-8080
누리집 b-book.co.kr 전자우편 bbooks@naver.com

ISBN 979-11-89898-64-9   03810
값_10,000원